Quand STELLA était toute petite

MARIE-LOUISE GAY

Dominique et Compagnie

Catalogage avant publication de
Bibliothèque et Archives nationales
du Québec et Bibliothèque et
Archives Canada
Gay, Marie-Louise

(When Stella was very, very small. Français)
Quand Stella était toute petite.
Traduction de : When Stella was very, very small.
Pour enfants.

ISBN 978-2-89512-760-4

I. Titre. II. Titre : When Stella was very, very small. Français.

PS8563.A868W4414 2009 jC813'.54 C2009-940514-8
PS9563.A868W4414 2009

When Stella was very, very small
© Marie-Louise Gay 2009
Publié par Groundwood Books/House of Anansi Press

Version française pour l'Amérique du Nord
© Les éditions Héritage inc. 2009
Tous droits réservés

Texte français : © Marie-Louise Gay
Directrice de collection : Lucie Papineau
Direction artistique et graphisme : Primeau Barey

Dépôt légal : 3e trimestre 2009
Bibliothèque et Archives nationales du Québec
Bibliothèque et Archives Canada

Dominique et compagnie
300, rue Arran, Saint-Lambert
(Québec) Canada J4R 1K5
Téléphone : (514) 875-0327
Télécopieur : (450) 672-5448
Courriel : dominiqueetcie@editionsheritage.com
www.dominiqueetcompagnie.com

Imprimé en Chine

Nous remercions le Conseil des Arts du Canada de l'aide
accordée à notre programme de publication.

Nous reconnaissons l'aide financière du gouvernement
du Canada par l'entremise du Programme d'aide
au développement de l'industrie de l'édition (PADIÉ) pour
nos activités d'édition.

Nous reconnaissons l'aide financière du gouvernement
du Québec par l'entremise du Programme de crédit d'impôt
pour l'édition de livres – SODEC – et du Programme d'aide
aux entreprises du livre et de l'édition spécialisée.

Pour Heather

Quand Stella était toute petite,
vraiment toute petite,
elle croyait qu'elle était une tortue.

Ensuite, pendant très longtemps,
elle a pensé qu'elle était un poisson rouge.

Jusqu'au jour où Stella comprit qu'elle était un petit chien.

Quand Stella était toute petite,
elle vivait dans une énorme maison.

Depuis la plus haute montagne du salon,
elle pouvait voir la terre entière.

Quand Stella était toute petite,
elle ne pouvait ni ouvrir les portes,

ni espionner par les trous de serrure,
ni même lacer ses souliers.

Mais elle barbotait plus vite que n'importe quel canard
dans l'immense piscine olympique.

Stella gagnait la médaille d'or à tout coup.

Quand Stella était toute petite,
les mots dans ses livres ressemblaient
à des fourmis en cavale.

Les papillons volaient dans sa chambre
et se posaient comme des fleurs sur les murs.
Parfois, la terre tremblait et les tasses sautaient dans le vide.

Le soir venu, Stella écoutait parler les arbres.
Ils se racontaient des histoires à dormir debout.

Ils disaient qu'ils portaient le ciel à bout de branches,
et chatouillaient le ventre rebondi des bébés nuages.

Quand Stella était toute petite,
elle explorait la forêt tropicale derrière sa maison.
Elle devait se méfier, car un tigre féroce y vivait.

Il y avait aussi d'immenses serpents venimeux
qui ondulaient près de ses orteils
et des insectes géants qui vrombissaient dans le ciel.

Au-delà de la forêt tropicale, il y avait du sable à perte de vue.
C'était le désert sans fin où soufflait un vent à décoiffer les oiseaux.

Stella faillit même se perdre pour toujours
dans l'effroyable tourbillon d'une tempête de sable.

Quand Stella était toute petite,
il neigeait parfois pendant des jours et des jours.

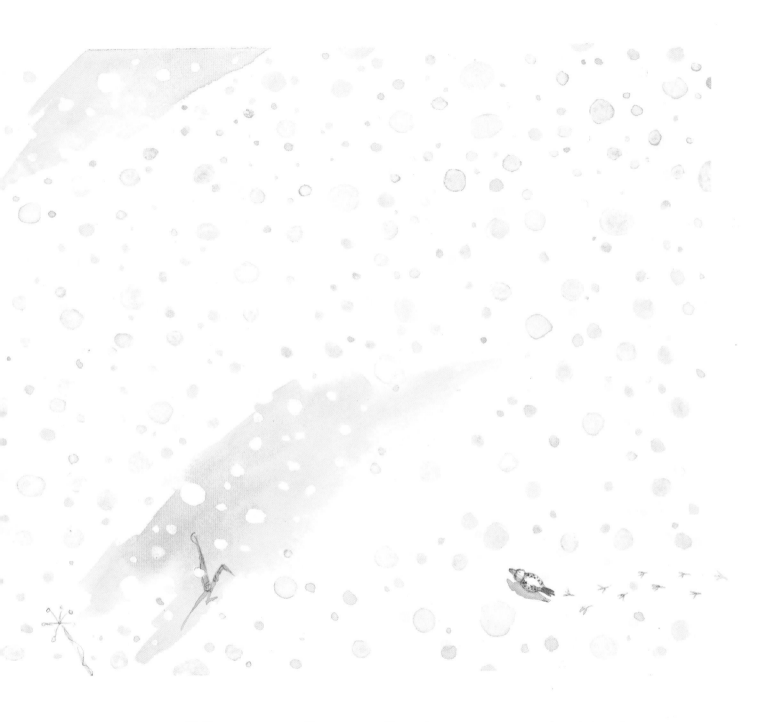

D'immenses flocons silencieux recouvraient tout,
la maison, la forêt tropicale et le désert sans fin.
Tant et si bien que la terre disparaissait.

Maintenant que Stella est plus grande,
elle nourrit le poisson rouge.

Elle marche beaucoup plus rapidement qu'une tortue,
et elle porte le chien comme un tout petit sac de pommes de terre.

Maintenant que Stella est plus grande,
elle joue à cache-cache et au ballon avec le chat tigré du voisin.

Elle connaît les noms des insectes et des papillons,
et observe les vers de terre qui ondulent dans son jardin.

Maintenant que Stella est plus grande,
les fourmis dans ses livres se sont transformées en mots
et les mots sont devenus des histoires.

Stella aime lire ces histoires à son petit frère Sacha.
Et Sacha, lui, aime bien l'écouter.

Stella peut aussi montrer à Sacha comment être un serpent...

ou un lapin…

... ou un oiseau.